468.6   Tall, Nick.
T   Las grandes
c.l   adventuras de
         Sherlock Holmes

DATE DUE   PERMA-BOUND

9/20/88	Nely Bibiana		Room 309

Sir Arthur Conan Doyle

Las grandes aventuras de Sherlock Holmes

NOW AGE BOOKS

ILLUSTRATED

Pendulum Press, Inc.

West Haven, Connecticut

ISBN 0-88301-457-2   Paperback
       0-88301-670-2   Complete Set

Library of Congress Catalog Card Number   80-53618

Published by
Pendulum Press, Inc.
An Academic Industries, Inc. Company
The Academic Building
Saw Mill Road
West Haven, Connecticut 06516

Printed in the United States of America

SOBRE EL AUTOR

Sir Arthur Conan Doyle, novelista inglés, nació en 1859 y fue hecho caballero en 1902. Se educó en Stonyhurst College en Alemania y en la universidad de Edinburgo. Obtuvo títulos de M.B. en 1881 y de M.D. en 1885. Practicó medicina en Southsea, Inglaterra antes de iniciar su carrera de autor.

En 1891 conquistó inmensa popularidad con sus *Las grandes aventuras de Sherlock Holmes.* Estas historias narran las hazañas de Sherlock Holmes, detective que resuelve complicados misterios con extraordinario talento.

Aunque sus historias fueron imitadas a menudo, ninguna logró el éxito de sus aventuras de Sherlock Holmes. En sus últimos años, Doyle fue un convencido espiritista y escribió y dio conferencias sobre espiritismo.

Sir Arthur Conan Doyle
Las grandes aventuras de Sherlock Holmes

Adaptación de
NICK TALL

Ilustraciones de
NESTOR REDONDO

Traducción de
TITO ARRIAGADA

Helen Stoner

el Dr. Watson

Sherlock Holmes

James McCarthy

la Srta. Turner

De todos los casos de Sherlock Holmes ninguno fue tan extraño como La aventura de la banda moteada. *Desperté una mañana encontrándome a Sherlock Holmes de pie junto a mi cama. . . .*

Siento despertarte, Watson, pero ha venido una joven a verme.

¿A... ..a, Holmes? So... ...e y cuarto.

Puede ser un caso interesante y pensé que te gustaría seguirlo desde el comienzo.

No me lo perdería por nada.

Me vestí rápida mente y poco después. . . .

Buenos días, señora. Soy Sherlock Holmes. Este es mi amigo, el Dr. Watson, ante quien puede usted hablar con plena confianza.

Pediré café, Holmes. La joven está tiritando de frío.

No es el frío lo que me hace tiritar. Es el terror.

Al levantarse el velo nos dimos cuenta que estaba realmente asustada.

No tema. Le resolveremos el problema. Veo que usted se vino en tren.

¿Cómo sabe?

Veo la mitad del boleto en la palma de su guante izquierdo. También veo que viajó en un coche abierto.

No es ningún misterio. Veo barro en la manga izquierda de su chaqueta.

Muy cierto. No tenía a quien más recurrir.

Mi trabajo es mi única recompensa, señora. Díganos qué la trajo aquí.

Pero he oído decir que usted puede penetrar hasta el mal que encierra el corazón humano.

Lo peor de todo es que mis temores son confusos.

Continúe.

Me llamo Helen Stoner. Vivo con mi padrastro, el último sobreviviente de una de las más antiguas familias sajonas* de Inglaterra, los Roylotts de Stoke Moran.

Conozco ese nombre.

El último propietario** vivió una vida de noble empobrecido. Su único hijo, que es mi padrastro, llegó a ser doctor y se fue a la India donde ejerció su profesión.

Pero en un arrebato de ira, mató a golpes a su mayordomo. Cumplió largos años de cárcel. Cuando regresó a Inglaterra se había convertido en un hombre amargado.

En un tiempo esa familia fue una de las más ricas de Inglaterra. Hoy solo quedan unas pocas hectáreas, una casa de 200 años y muchas cuentas por pagar.

¡No, no, amo!

*pueblo similar a los vikingos que se radicó en Inglaterra hace más de 1000 años.
**gran hacendado

Cuando el Dr. Roylott vivía en la India se casó con mi madre. Era la viuda del mariscal Stoner. Mi hermana Julia y yo éramos gemelas.

Mi madre dejó una suma grande de dinero al Dr. Roylott mientras vivíamos con él, pero entendiéndose que al casarnos, cada una debería recibir cierta cantidad de dinero anual.

Poco después de nuestro regreso a Inglaterra hace ocho años, mi madre murió en un accidente ferroviario. El Dr. Roylott abandonó entonces su profesión de médico.

Vivimos con el dinero que nos dejó mamá, contentas al principio. . . .

Niñas, viviremos juntos aquí en la vieja casa familiar.

Pero nuestro padrastro experimentó un terrible cambio. Empezó a pelearse con todo el que se le acercaba.

¡Lárguese de aqui!

La semana pasada le pegó al herrero del pueblo.

¡No se me acerque!

¿Qué?

Sus únicos amigos eran los gitanos que acampaban a veces en nuestra propiedad.

A veces se iba a estar con ellos por semanas enteras.

También se interesa por los animales de la India que le envían.

¿Qué clase de animales?

Tiene un leopardo asiático y un mandril.

Andan sueltos en la propiedad y los aldeanos les temen tanto como a su amo.

¿Qué opinas, Holmes?

Necesito más datos, Watson. Por favor, continúe, señora.

Nunca fuimos felices con mi pobre hermana. Sólo tenía 30 años cuando murió y su cabello estaba ya canoso como está ahora el mío.

¿Su hermana murió?

Murió hace dos años y de eso quiero hablarle.

Holmes mostró ahora más interés.

En la forma en que vivíamos nos era difícil conocer gente de nuestra edad. Pero teníamos una tía que vivía cerca de Harrow a quien visitábamos de vez en cuando.

Para la Navidad, hace dos años, Julia conoció allí a un comandante de la marina con quien quiso casarse. Mi padrastro no se opuso, pero poco antes del día de la boda, ocurrió un suceso terrible.

La mansión principal* es muy antigua y sólo una parte está habitada. Los dormitorios están en la planta baja: primero el del Dr. Roylott, luego el de mi hermana y después el mío. Todos dan al mismo pasillo.

Comprendo perfectamente.

Las ventanas de los tres dormitorios se abren hacia el prado. Esa noche el Dr. Roylott se había retirado a su habitación temprano. Sabíamos que no estaba durmiendo porque sentíamos el fuerte olor de sus cigarros indios.

Mi hermana había venido a mi dormitorio y estábamos conversando de su boda. Cuando se levantó para irse. . . .

¿Helen, has oído a alguien silbar durante la noche?

Nunca. ¿Por qué?

Porque estas últimas noches he estado oyendo un silbido.

Pueden ser los gitanos.

*casa grande que pertenece al dueño de grandes terrenos

Dijo que no tenía importancia. Sonriendo, salió y cerró mi puerta echándole llave.

¿Siempre se encerraban de noche bajo llave?

Siempre. Les teníamos miedo a los animales.

Lógico.

Esa noche una sensación de peligro no me dejaba dormir.

Mi hermana y yo éramos muy unidas. Era una noche tormentosa, el viento aullaba y la lluvia azotaba las ventanas.

Presiento que algo terrible va a suceder.

De repente. . . .

¡Dios mío! ¡Mi hermana!

¡Ay!

Al abrir la puerta oí un silbido sordo, como el descrito por mi hermana, y momentos después un sonido como el de un pesado metal al caer.

¡Ay! ¡Socorro!

¡Ya voy, Julia!

¡Caramba!

Mientras corría por el pasillo, la puerta de mi hermana se abrió lentamente. Me detuve, temerosa. . . .

Mi hermana salió del dormitorio, lívida de terror, tambaleándose. . . .

Cayó al suelo, retorciéndose de dolor.

¡Julia!

¡Ay! ¡Ohhh!

Julia, ¿qué pasa?

Y con una voz que jamás olvidaré murmuró. . . .

¡Dios mío, Helen! ¡La banda . . . la banda moteada!

¿Qué?

Apuntó con el dedo hacia el cuarto del doctor, pero empezó a sofocarse y ya no pudo hablar. Mi padrastro venía corriendo de su cuarto en su bata.

Pero vi que era demasiado tarde.

Imposible salvarla.

¡Julia, háblame!

En pocos minutos murió.

¿Está segura que oyó el silbido y el sonido metálico?

El médico forense* me lo preguntó durante la investigación. Me pareció oírlos, pero con la tormenta pude haberme equivocado.

¿Estaba vestida su hermana?

No. Solo su camisón de noche. Sujetaba en las manos un fósforo apagado y una caja de fósforos.

Mostrando que había encendido un fósforo al sentir alarma. Eso es importante. ¿A qué conclusión llegó el médico forense?

No pudo determinar la causa de su muerte. La puerta estaba con llave por dentro; las ventanas bloqueadas por barrotes de hierro; las paredes y el piso, sólidos. Estoy segura de que mi hermana estaba sola. Su cuerpo no mostraba señales de violencia.

¿Quizá un veneno?

Los médicos no hallaron ningún rastro.

Entonces, ¿de qué cree que murió su hermana?

Pánico y choque nervioso, pero no me imagino por qué.

¿Había gitanos en la propiedad esa noche?

Sí. Acampan allí generalmente.

Hmm— muy misterioso. . . .

*médico que examina el cadáver en caso de muerte sospechosa

¿Y descifró lo de la banda moteada?

A veces pienso que fueron palabras dichas en su delirio, o que quizás se refería a la banda de gitanos.

O quizás al pañuelo moteado que algunos de ellos usan.

Me parece que aquí falta algo.

Han pasado dos años desde entonces y he hecho una vida muy solitaria. Pero hace un mes un querido amigo me propuso matrimonio.

Mi padrastro dio su aprobación.

Se llama Percy Armitage, papá. Nos gustaría casarnos en la primavera.

Es una buena noticia.

Hace dos días empezaron a hacer reparaciones en la casa y rompieron la pared de mi dormitorio.

¿Dónde dormiré ahora?

Buen trabajo, muchachos.

Ahora he tenido que mudarme a la habitación donde murió mi hermana . . . dormir en su cama.

Imaginen mi terror anoche cuando. . . .

Ese silbido sordo . . . el que oí cuando murió Julia.

No vi nada a la luz de mi lámpara. Me vestí y esta mañana tomé un carruaje en la Posada Crown y fui a Leatherhead.

Desde entonces sólo he pensado en pedirle su ayuda.

Bien pensado. Pero, ¿me lo ha contado todo?

S-sí.

No le creo. Usted está protegiendo a su padrastro.

Estas marcas—cuatro dedos y un pulgar. Sin duda de su padrastro.

¡Oh!

¿Qué quiere decir?

...dor y salió del cuarto.

¡No se atreva a intervenir en mis asuntos!

Un individuo amistoso.

...ió el atizador y con ...e fuerza. . . .

Increíble, Holmes. ¡Y no eres ni la mitad de su tamaño!

Tenemos que solucionar e... Watson. Ojalá que nuestra... amiga no sufra por haber ...nido a verme.

Y ahora, ¿qué?

...ar! ...ri... ...e... ...os

Es un hombre muy duro. No se da cuenta de la fuerza que tiene.

Excelente. ¿No te opones a este viaje, Watson?

De ninguna manera.

Después que Helen Stoner se hubo ido. . . .

¿Qué piensas de todo esto, Watson?

Es un asunto maléfico.

Este es asunto serio. ¿Podremos ver las habitaciones sin que lo sepa su padrastro?

Iba a venir por el día al pueblo. No habrá nadie en casa.

Regresaré en el tren de las doce para estar allí cuando usted venga. Ya me siento mejor después de haber hablado con usted.

Bastante maléfico. Silbidos por la noche, una banda de gitanos amigos del doctor. . . y suficiente motivo para que trate de impedir el matrimonio de su hijastra.

¿Qué te parecen las extrañas palabras de la mujer antes de morir?

No sé.

Si el piso y las paredes son sólidos y nadie podía entrar por la puerta, la ventana o la chimenea, la hermana debe haber estado **sola cuando murió.**

¿Cuál de ustedes es Holmes?

Soy el Royle... hijast... ¿Qué...

Tiró el atiza...

Y agregando el hecho de que Helen oyó un ruido como el de una barra metálica cayendo en su lugar....

Me hace pensar que la ventana con barrotes puede ser la clave.

Pero, ¿qué hicieron los gitanos?

...á fresco para esta ...oca del año.

Le advierto que soy un hombre peligroso.

Y Holmes recog... una explosión d...

¡Eso!

No sé. Por eso vamos hoy a Stoke Moran.

De repente la puerta se abrió de golpe.

¡Qué demonios!

Ahora, ¡a desayun... Después iré a los t... bunales donde esp... ro conseguir algun... datos importantes.

Era cerca de la una cuando Holmes regresó.

He visto el testamento de la madre de la muchacha, Watson. La renta total no pasa de 750 libras.* Cada hija recibirá 250 libras al casarse.

Eso quiere decir. . . .

Exactamente. ¡El matrimonio de cada hija le costaría al Dr. Roylott un tercio de su renta!

Lo que prueba que tiene buen motivo para impedir sus matrimonios.

¿Y tú crees que. . . .?

Ven. Démonos prisa.

En Waterloo tomamos un tren a Leatherhead.

Holmes llamó un coche para que nos llevara a la estación Waterloo.

Watson, lleva tu pistola. Es un buen argumento contra señores que doblan atizadores.

Naturalmente. . . .

Ese es nuestro tren. Tomaremos un coche en la estación cuando lleguemos.

¡Tú actúas rápido, Holmes!

*moneda inglesa

Al pasar más tarde por la campiña. . . .

Mira, Watson.

¿Qué es eso?

Allá en lo alto se divisaban las torres de una casa muy antigua.

Cochero, ¿es ésa Stokes Moran?

Sí, señor.

Para llegar a la casa pueden seguir el sendero. Allí por donde va esa dama.

Nos bajaremos aquí.

Despedimos el coche.

Buenas tardes, Srta. Stoner. Hemos cumplido nuestra palabra.

Espléndido. El Dr. Roylott ha ido al pueblo y no volverá hasta la noche.

Ya nos conocimos. La siguió a usted hasta nuestra puerta.

¡Dios Santo! Nunca sé cuando estoy libre de él. ¿Qué dirá cuando vuelva?

No se preocupe, Srta. Stoner. Enciérrese esta noche bajo llave. Si se pone peligroso, la llevaremos con nosotros.

Aprovechemos bien el tiempo. Llévenos a las habitaciones que debemos examinar.

Síganme.

Aunque se estaba reparando la casa, no había trabajadores presentes. Holmes estudió cuidadosamente la ventana.

Esta es de su antiguo dormitorio; la del centro, la de su hermana; y la vecina al edificio principal era del dormitorio del doctor.

Exactamente. Pero ahora duermo en la del centro.

No veo necesidad de reparar esa parte de la pared.

No. Creo que fue una excusa para cambiarme de habitación.

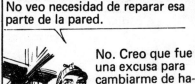

Por la parte de atrás está el corredor al que dan estas tres habitaciones. ¿Hay ventanas?

Sí, pero son muy pequeñas para que alguien pase por ellas.

Pidiéndole a la Srta. Stoner que cerrara por dentro las persianas, Holmes las examinó con su lupa.

Veremos si el interior arroja luz sobre el asunto.

Veo que eso ofrece algunas dificultades.

Watson, no hay manera de forzar estas persianas desde afuera.

Entramos en el cuarto en el que dormía ahora la Srta. Stoner y en el que su hermana había encontrado la muerte.

Hay que observar cada detalle, Watson.

Y señalando una gruesa cuerda de campanilla que colgaba junto a la cama. . . .

¿Dónde suena esa campanilla?

En el cuarto del ama de casa. La instalaron sólo hace pocos años.

¿A pedido de su hermana?

No. Ella nunca la usó.

Holmes dio un tirón a la cuerda.

¡No está conectada a nada!

¿No hace sonar nada?

Ni siquiera está sujeta a un alambre, sólo a ese gancho sobre la apertura del ventilador.*

Nunca me fijé en eso.

Es muy raro. ¿Para qué abrir un ventilador que da a otro cuarto en vez de darle salida al exterior?

Lo abrieron cuando se instaló la cuerda.

Holmes fue al dormitorio del Dr. Roylott.

¿Qué hay aquí?

Documentos de mi padrastro.

¿Este platillo de leche es para un gato?

No tenemos gato. Pero sí el leopardo y el mandril.

Un leopardo es como un gato grande. Pero un platillo de leche no basta para alimentarlo.

*apertura en la pared para suministrar aire fresco

Una correa para perro pequeño atrajo la atención de Holmes. . . .

Mi amigo mostraba una expresión triste y sombría.

Una correa para un perro común atada de manera especial.

Debe hacer exactamente lo que le diga, Srta. Stoner. Su vida puede depender de ello.

Así lo haré.

Mi amigo y yo pasaremos la noche en su habitación.

¿Qué?

¿Sus ventanas pueden verse desde la posada Crown?

Sí.

Enciérrese bajo llave cuando regrese su padrastro. Cuando lo oiga retirarse a su dormitorio, abra la ventana y las persianas.

Ponga allí su lámpara para que nos sirva de señal. Entonces vaya a su antiguo dormitorio. Del resto nos encargamos nosotros.

Pero, ¿qué van a hacer?

Trataremos de encontrar la causa del ruido que la ha preocupado.

Creo, Sr. Holmes, que usted ya lo sabe. Por favor, dígame la causa de la muerte de mi hermana.

Quiero tener más pruebas antes de decir nada. Debemos irnos. Tenga valor.

Sherlock Holmes y yo tomamos un cuarto en la posada Crown. Al caer la noche. . . .

Mira, Watson. Va llegando el Dr. Roylott.

POSADA CROWN

Efectivamente.

Quizás debiera ir solo esta noche, Watson. Podría ser peligroso.

¡Vaya! Si puedo ayudar, claro que iré. No he visto nada peligroso.

Viste todo lo que yo vi, pero creo haber hecho más deducciones.

No vi nada notable, excepto la cuerda de la campanilla y no sé lo que significa.

¿También viste el ventilador?

Sí, pero no vi nada extraño. Era tan chico que ni una rata podría pasar. ¿Qué daño puede causar?

Se construye un ventilador, se cuelga una cuerda, y una muchacha que duerme en la cama muere. ¿No te parece raro?

No veo la conexión.

La cama estaba clavada en el suelo. ¿Has visto cosa semejante?

No.

La cama tiene que estar siempre en el mismo lugar debajo del ventilador y la cuerda—que nunca se instaló para hacer sonar una campanilla.

Al fin empecé a ver lo que insinuaba Holmes.

¡Apenas tenemos tiempo para evitar algún crimen horrible!

Cuando un médico toma el mal camino puede ser el peor de los criminales.

Esperamos que se apagaran las luces.

Habrá suficientes horrores esta noche. Pensemos en algo más alegre por ahora.

Como a las nueve las luces se apagaron.

Y a las once. . . .

Esperemos ahora la señal de la Srta. Stoner.

¡Ahí está, Watson! Una luz en la ventana central.

Un instante después estábamos en el oscuro sendero. La luz amarillenta nos marcaba el camino hacia la casa.

De repente, de detrás de unos arbustos, saltó lo que parecía ser un niño feo y encorvado.

¡Dios Santo! ¿Qué es eso, Holmes?

Momentáneamente Holmes se sintió tan nervioso como yo. . . .

¡Válgame Dios!

¿Tú lo viste también?

Pero pronto dejó escapar una risita.

Mi querido Watson, es el mandril.

¡Vaya que sí lo es!

Me había olvidado del leopardo y del mandril.

Basta de preocupaciones. Entremos.

Trepamos por la ventana abierta y nos quitamos los zapatos.

Y luego Holmes susurró. . . .

El menor ruido podría acabar con nuestros planes.

Todo está igual que esta tarde.

No encendamos una luz. La vería a través del ventilador.

Cierto.

No te duermas; tu vida puede depender de ello. Y ten la pistola lista.

Me sentaré en la cama y tú en esa silla.

Holmes había traído un bastón que colocó sobre la cama junto con algunos fósforos y una vela. . . .

Luego apagó la lámpara. . . .

Y ahora, a esperar, Watson. Este hombre tiene una mente ágil, pero nosotros seremos más ágiles que él.

Nos quedamos en completa oscuridad.

El reloj de la aldea dio la una, las dos y las tres, y seguíamos esperando lo que pudiera suceder.

¡Bong . . . bong . . . bong!

¡Auuuu!

Un gruñido como de gato, afuera . . . debe ser el leopardo.

De repente vimos un rayo de luz.

Esa luz viene del ventilador. . . .

Luego, un olor de aceite quemado y metal calentado. . . .

Alguien ha calentado una linterna oscura.

Oí un movimiento . . . y luego silencio.

¡Ese olor se hace más fuerte!

Por media hora estuve aguzando el oído. Repentinamente oí otro sonido—como el de un chorrito de vapor saliendo de una tetera. . . .

¿Qué es eso?

Instantáneamente Holmes saltó de la cama y encendió un fósforo, poniéndose a dar golpes a la cuerda con su bastón.

¿La ves, Watson?

¿Qué?

Oí un silbido sordo.

La luz . . . no puedo distinguir lo que es.

¡Agh!

Sin poder ver qué era lo que golpeaba mi amigo, podía ver sólo su cara, llena de horror.

Hubo un momento de silencio cuando dejó de dar golpes, seguido de un horrible grito de dolor, temor e ira. . . .

¡Ayyyy!

¿Qué fue eso?

¿Qué significa eso, Holmes?

Que todo ha terminado, Watson. Toma la pistola y sígueme.

Llegamos al cuarto del Dr. Roylott. Dio dos golpes a la puerta.

No se oye nada, Watson.

Así es . . . sólo silencio.

Entramos al cuarto.

Allí estaba sentado el Dr. Roylott, sus ojos abiertos sin ver nada. En torno a la cabeza vimos enrollada una extraña banda amarilla, moteada de pardo. . . .

¡Qué raro se ve!

¡La banda moteada, Watson!

De repente la extraña banda empezó a moverse.

¡Una culebra!

Una víbora de pantano, Watson, la serpiente más venenosa de la India.

¡Murió segundos después de ser mordido!

Los asesinos a menudo mueren de la manera que planeaban para su víctima. Encerremos a esta víbora.

Lanzó el lazo sobre el cuello del reptil.

¡Cuidado, Holmes!

Y lo llevó a la caja fuerte abierta.

Y cerró la puerta.

Ahí se queda encerrada.

Vamos ahora a buscar a la Srta. Stoner y a notificar a la policía.

Después de dar la triste noticia a la atemorizada muchacha, la llevamos a la casa de su tía en Harrow.

Estoy seguro de que la investigación del médico forense determinará que el doctor murió mordido accidentalmente por un temible regalón suyo.

¡Qué terrible!

Pero gracias a Holmes, usted está ahora a salvo.

Al volver a casa al día siguiente, Holmes me aclaró el caso.

Siempre es peligroso razonar sin suficientes datos.

Los gitanos y el uso de la palabra "banda" por la víctima me despistaron totalmente.

Muy comprensible, querido Holmes.

Pero pronto vi que el peligro no podía provenir ni de la ventana ni de la puerta.

Y Holmes explicó por qué había cambiado de parecer.

"Tenía que hacer regresar a la serpiente. Y la adiestró usando la leche que vimos para que regresara al oír el silbido."

La metía por el ventilador sabiendo que bajaría por la cuerda para caer en la cama. . . .

¡Piiiip!

¡Sssssss!

"Podría o no morder a la víctima. . . ."

Y aunque escapara varias noches, a la larga sería mordida.

"Se subía a la silla para alcanzar el ventilador. El sonido metálico era de la puerta de la caja fuerte al cerrarse cuando regresaba la serpiente."

¡Oí el silbido de la serpiente e inmediatamente la ataqué!

¡Con que eso fue lo que oí!

MHS

Así que volvió por el ventilador . . .

. . . y mordió a su amo.

"Los golpes que le di la enfurecieron y atacó a la primera persona que vio."

¡Ah! ¡No!

Así, yo fui la causa de la muerte del Dr. Roylott, pero no creo que me vaya a preocupar mucho por eso.

¡Qué bueno es estar de vuelta en la calle Baker, Watson!

Creí que nunca volveríamos a verla, Holmes.

FIN

Un telegrama de Sherlock Holmes a mi casa fue mi primer contacto con el misterio del Valle Boscombe.

El mensaje de Holmes, aunque breve, parecía interesante.

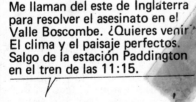

Y mientras nuestro tren pasaba por Reading. . . .

Los periódicos de Londres no dan toda la historia. Creo que es uno de esos casos simples que siempre resultan difíciles. El caso se presenta grave contra el hijo del hombre asesinado.

Un asesinato, ¿eh?

Lo veremos con nuestros propios ojos.

El principal hacendado del Valle Boscombe es John Turner. Hizo su fortuna en Australia. Había alquilado una de sus granjas a un Charles McCarthy, también ex-australiano.

Ambos se habían conocido en Australia. Turner tenía más dinero, pero cuando McCarthy alquiló parte de su propiedad, continuaron siendo amigos y se veían a menudo.

Ya veo.

McCarthy tenía un hijo de dieciocho años y Turner tenía una hija de la misma edad, pero ambos eran viudos. McCarthy tenía dos sirvientes—un hombre y una muchacha. Turner tenía una media docena.

El lunes pasado, McCarthy salió de su casa como a las 3 de la tarde y bajó hasta un pequeño lago en Boscombe. Le había dicho a su sirviente que iba a encontrarse allí con alguien. Y no regresó.

De la casa de McCarthy al lago hay un cuarto de milla. Dos personas lo vieron pasar: una anciana y William Crowder, el guardabosque de Turner. Ambos dicen que McCarthy iba solo.

El guardabosque, poco después de ver pasar a McCarthy, vio a su hijo James siguiendo el mismo camino, llevando una escopeta. Pensó que el hijo iba siguiendo al padre y no le dio importancia hasta que supo lo del crimen.

Por su parte, la hija del mayordomo, que estaba en el bosque recogiendo flores, vio a McCarthy y a su hijo en una violenta disputa cerca del lago.

Se asustó con sus gritos y huyó temiendo que fueran a darse golpes. Acababa de contarle esto a su madre, cuando el joven McCarthy llegó corriendo, diciendo que había encontrado a su padre muerto. Venía sin la escopeta y sin el sombrero y con manchas de sangre en la mano y la manga derechas.

¡Dios Santo! ¿Y qué pasó, Holmes?

Lo acompañaron hasta el lago donde hallaron el cadáver. Había recibido golpes en la cabeza con algo pesado y chato como la culata de la escopeta del muchacho que encontraron en el pasto a pocos metros.

¿Y detuvieron al hijo?

Sí. Acusado de asesinato.

Toda la evidencia señala al joven McCarthy como culpable.

Pero es evidencia un tanto engañosa, si se mira desde otro punto de vista, puede señalar en otra dirección.

Hay mucha gente en el lugar que no cree que James sea culpable, entre ellos, la hija de Turner. Ha llamado al inspector Lestrade de Scotland Yard y él me ha pedido que investigue el caso.

Los hechos son tan claros que temo que no tengas mucho que hacer, Holmes.

Pero considera esto, Watson. Cuando fue detenido, James dijo que no estaba sorprendido y que se lo merecía.

¡Una confesión!

No. Dijo entonces que era inocente. Si se hubiera mostrado sorprendido antes de su arresto, yo hubiera sospechado de él inmediatamente.

No, Watson. El que se dejara detener tan fácilmente me hace pensar en que puede ser inocente. Sus declaraciones son más bien una señal de una mente sana, no culpable.

Se ha ahorcado a muchos con evidencia menos convincente.

Y también injustamente.

Holmes me pasó el periódico local con la declaración del joven.

Léelo tú mismo.

Hm . . . veo que el médico forense lo interrogó detenidamente.

Al leer la historia podía imaginarme al joven McCarthy declarando ante el médico forense.

Acababa de regresar después de tres días en Bristol cuando vi salir a mi padre del patio. Sin saber adónde iba, tomé mi escopeta y me dirigí hacia el lago . . .

" . . . pensando cazar un conejo para la cena."

"En el camino vi al guardabosque; pero se equivoca al decir que yo iba siguiendo a mi padre. Ni sabía que iba adelante."

"Al llegar cerca del lago oí un grito."

"Me apresuré y lo encontré cerca del lago. Se sorprendió al verme."

¡Cuiii!

Era la señal que teníamos con mi padre.

¿Qué haces aquí?

¡Pero oí tu llamado!

"Empezamos a argu- mentar y casi nos fui- mos a las manos . . . Mi padre tenía muy mal genio."

"No queriendo pe- learme con él, volví camino a la granja."

"Había caminado pocos pasos cuan- do de repente oí . . . ."

¡Vete a tus asun- tos. No te necesito aquí!

¿Crees que puedes hablarme en ese tono?

¡Lárgate!

Mejor que me va- ya. No se puede razonar con él.

¡Ayyy!

¡Es papá! ¿Qué le ha pasado?

"Y lo encontré tirado en el suelo, con una herida en la ca- beza . . . Solté la escopeta y lo sostuve en mis brazos."

¿Qué pasó, papá?

¡Ah!

Murió casi instantáneamente. Corrí entonces en busca de ayu- da. No vi a nadie cerca de mi pa- dre al regresar y no tengo idea qué lo mató. Nunca supe que tuviera enemigos.

Hmm. . . .

¿Dijo algo su padre antes de morir?

Sólo unas palabras . . . algo así como una rata.

¿Qué cree usted que quiso decir?

Nada. Pensé que deliraba de dolor.

¿Sobre qué discutieron ustedes?

No puedo decírselo. Solo que no tenía nada que ver con el asesinato.

Su negativa a contestar no le favorece. ¿Usted dijo que el grito de "Cuii" era una señal entre ustedes dos?

Sí, señor.

¿Por qué usó entonces esa señal antes de saber que usted había regresado de Bristol?

No lo sé.

¿Vio algo cuando volvió y encontró a su padre agonizando?

Creí ver una chaqueta gris en el suelo, pero cuando me levanté después de sujetar a mi padre había desaparecido.

¿Desapareció antes de que fuera en busca de ayuda?

Sí.

¿A qué distancia estaba del cadáver?

A unos doce metros.

¿Y a qué distancia del bosque?

A la misma distancia.

Habiendo terminado la lectura en el periódico. . . .

El médico forense considera raro que McCarthy hubiera dado la señal a su hijo antes de verlo. También nota la negativa de James a decir sobre qué discutieron, y su extraña declaración sobre las últimas palabras de su padre. Todo está en contra del joven, Holmes.

Quizás. Pero empezaré el caso creyendo que lo que el joven dice es la verdad.

El inspector Lestrade de Scotland Yard nos esperaba en la estación y nos llevó hasta nuestras habitaciones.

Supuse que usted querría ver la escena del crimen, Holmes.

Muy amable, Lestrade.

Llegamos a nuestra habitación, cuando de repente. . . .

¡Oh! ¡Señor Holmes! ¡James no pudo haberlo hecho! Nos conocemos desde niños . . . es muy tierno.

Espero poder probar su inocencia.

Estoy segura de que la discusión con su padre era sobre mí. Por eso no quiere revelarlo al médico forense.

¿Y cómo así?

Su padre quería que nos casáramos. Pero nos queremos como hermanos. El es joven; todavía no quiere matrimonio. Por eso hubo riñas.

¿El padre suyo también deseaba este matrimonio?

Y más tarde a su regreso. . . .

Vi al joven McCarthy, Watson, pero sin resultado. Debemos inspeccionar ahora el lugar del crimen antes de que llueva.

¿No sacaste nada en limpio de tu visita?

Bueno, la razón por la que James no quería casarse con Alice Turner. Está enamorado de ella, pero hace dos años se casó con una tabernera de Bristol.

Caramba.

Nadie sabe esto.

Por eso argumentó tanto cuando su padre insistía en que se casara con Alice.

Con su esposa la tabernera pasó los últimos tres días en Bristol. Y su padre no sabía donde estaba.

Pero Holmes me dio una sorpresa. . . .

Afortunadamente, la tabernera supo que había sido detenido y le escribió diciéndole que ya tenía un marido en Bermuda.

¡Entonces su matrimonio no es válido!

¡Eso es! Y James se siente ahora un poquito mejor.

Pero entonces, ¿quién es el asesino?

Sabemos que la víctima iba a encontrarse con alguien junto al lago. No podía ser su hijo quien estaba ausente y su padre no sabía cuando volvería.

También sabemos que la víctima gritó "¡Cuii!" antes de saber que su hijo había regresado. Todo el asunto se basa en esos dos puntos.

Ya veo.

A las nueve pasó a buscarnos el inspector Lestrade.

El pobre Turner ha sufrido un gran golpe. Era viejo amigo de McCarthy, tanto así que no le cobraba alquiler por la granja.

Y yendo camino al lago. . . .

Era raro que McCarthy, un hombre pobre, insistiera en casar su hijo con la hija de Turner, quien heredará algun día la fortuna de su padre.

Y hablaba como si ella y su padre accederían si su hijo le propusiera matrimonio.

Y más raro considerando que ella misma nos dijo que James no quería casarse con ella por ahora. ¿No deduce algo de eso?

Escuche, Holmes. Bastante difícil es llegar a los hechos sin meterse en adivinanzas.

En la granja Hatherly, Holmes tomó un par de botas de McCarthy y otro par de su hijo.

Ojalá le ayuden, señor.

Sí, gracias.

Después de medir las botas, Holmes pasó al patio.

Por aquí podemos ir al lago.

Recuerde, Holmes, que insisto en que el joven McCarthy es el culpable.

Rápidamente Holmes se acercó al lago.

Aquí tenemos muchas huellas.

Y al señalar a Lestrade el lugar donde se eccontró el cadáver. . . .

Tres huellas distintas de los mismos pies . . . del joven McCarthy, seguramente.

¡Sorprendente su manera de investigar!

Holmes siguió cuidadosamente las huellas hasta que. . . .

¡Ajá! Esto le interesará, Lestrade.

Sí, ¿por qué?

Esta roca puede haber causado las heridas. Seguro que es el arma del crimen.

Y según usted, ¿quién sería el asesino?

Es un hombre alto y zurdo; cojea de la pierna derecha; usa botas de suela gruesa y una capa gris; fuma cigarros de la India; usa boquilla y tiene un cortaplumas sin filo.

Todavía no estoy seguro, Holmes. ¿Quién era el asesino?

El hombre que describo.

Todo Scotland Yard se reiría de mí si me lanzara a buscar a un hombre zurdo y cojo.

Muy bien. Vamos, Watson

Dejamos a Lestrade y volvimos al hotel.

Repasemos los hechos, Watson. Sabemos que McCarthy gritó "¡Cuii!" antes de ver a su hijo. Y también que dijo algo acerca de una rata antes de morir.

Bueno, ¿y qué?

La llamada no era para su hijo a quien creía en Bristol. Pero "cuii" es un grito australiano . . . de ahí que la persona a quien buscaba McCarthy en el lago Boscombe tenía que ser un australiano.

¿Y qué hay de la rata?

Sherlock Holmes sacó un mapa de su bolsillo.

Este es un mapa de la provincia australiana de Victoria.

Así lo veo.

Si tapo esta parte con la mano, ¿qué lees?

¡ARAT!

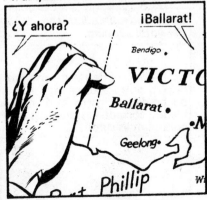

Y al quitar Holmes la mano. . . .

¿Y ahora?

¡Ballarat!

aRe

¡Efectivamente! Ballarat era la palabra. McCarthy trataba de nombrar a su asesino . . . fulano de tal de Ballarat.

¡Extraordinario, Holmes!

Está claro. Ahora tomando la declaración de James, tenemos un australiano de Ballarat con capa gris.

Dijiste que también era cojo.

La huella dejada por su pie derecho era siempre menos marcada que la del pie izquierdo. ¿Por qué? ¡Porque cojeaba!

¿Y cómo sabes que era zurdo?

El golpe fue asestado por detrás, pero en el lado izquierdo. Tiene que haber sido por un zurdo.

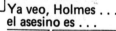

Mientras Holmes hablaba, de repente el mozo del hotel anunció. . . .

Estaba oculto detrás de un árbol durante la disputa entre padre e hijo. Allí encontré el pucho de un cigarro. Usó una boquilla habiendo cortado la punta del cigarro con un cortaplumas romo.

Ya veo, Holmes . . . el asesino es . . .

¡El señor John Turner!

Yo era un joven fogoso entonces en las minas de oro. Tuve mala suerte y me hice de malos amigos. Me convertí en salteador.

"Eramos seis y atacábamos carruajes y diligencias. Me llamaban el Negro Jack de Ballarat, y todavía nos recuerdan en Australia como la pandilla de Ballarat."

¡El oro o la vida!

"Un día atacamos un embarque de oro y matamos a seis guardias, perdiendo la mitad de nuestros hombres antes de apoderarnos del oro."

"Este hombre McCarthy era el cochero. Le perdoné la vida aunque vi que me miraba fijamente."

Ahora éramos ricos. Dejé a mis amigos y volví a Inglaterra a hacer una vida honrada. Mi esposa murió dejándome a Alice.

Todo marchaba bien hasta que un día. . . .

¡Si te mueves te mato!

¡Aquí esta el oro, Jack! ¡Vámonos!

¡Aquí estamos, Jack! Yo y mi hijo. Si no te haces cargo de nosotros, iré a la policía.

¡El cochero! Debí haberlo matado.

Después vio que yo temía más que Alice supiera que la policía. Le di tierras, dinero, casas . . . hasta que pidió lo que no podía darle. Quería a Alice para su hijo.

El muchacho no me desagradaba, pero no quería que su sangre se mezclara con la mía. Cuando McCarthy anunció que me delataría, convine en encontrarme con él junto al lago.

Esperé hasta que terminó su disputa con su hijo, insistiendo en que se casara con Alice. Sabía que me quedaban pocos meses de vida pero creí salvarla si pudiera silenciarlo, y cuando su hijo se alejó, lo tumbé de un golpe. Cuando su hijo regresó, no me vio. Entonces recogí mi capa. ¡Juro que ésa es la verdad, señores!

A mí no me corresponde juzgarlo. Si James es declarado inocente, guardaremos su secreto.

James McCarthy fue declarado inocente gracias al testimonio de Sherlock Holmes. El viejo Turner murió poco después. James y Alice tienen hoy un matrimonio feliz sin saber nada de la oscura nube del pasado.

¡Qué bueno estar de vuelta en la calle Baker, Watson!

¡Hiciste un trabajo extraordinario, Holmes!

FIN

GLOSARIO

aceite oil
adiestró he trained
adivinanzas puzzles, guessing games
agregando adding
agujero hole
alambre wire
aldeanos villagers
alquilado rented
amargado embittered
aprobación approval
Aprovechemos Let's take advantage of
arbustos bushes
arma weapon
arrebato rage, fury
asestado delivered, given
atizador poker
aullaba it was howling
azotaba it was beating, lashing

barro mud
barrotes de hierro iron bars
bastón cane
boquilla cigarette holder

caja fuerte safe
cambiado de parecer changed his mind
campanilla bell
canoso grey or white-haired
cazar to hunt
chato flat, blunt
chorrito spurt, stream
clavada nailed
cobraba he charged
cojea he limps
colmillos fangs
comportarse to behave
conejo rabbit
correa leather strap
cortaplumas pen knife
cuentas bills
culata gun butt
culebra snake

dan al mismo pasillo they face the same corridor
dedos fingers
delataría he would tell on me, give me away
descifró you solved, figured out
despistaron they threw off the track
de vez en cuando from time to time

echándole llave locking it
encorvado bent over
engañosa deceiving
enrollada wrapped around
escopeta shotgun
estar de vuelta to be back, home

fogoso fiery, spirited
fulano de tal so and so, what's his name

gancho hook
gitanos gypsies
granjas farms
gruesa thick
gruñido growl
guardabosque game warden

haberme equivocado to have been mistaken
hacendado landowner
hazañas great deeds, feats
herida wound, injury
herrero blacksmith
hijastra stepdaughter
huellas footprints

logró he achieved, succeeded
lupa magnifying glass

manchas stains
mandril baboon
manga sleeve
mariscal Marshall

medir to measure
moteada speckled

No se atreva Don't you dare
no tenía nada que ver It had
nothing to do

padrastro stepfather
pandilla band, gang
pardo brown
persianas shutters
postiza false, fake
prado meadow, field
preso prisoner
pruebas proof
pulgar thumb

quemado burned

rastro trace
razonar to reason
recurrir to appeal or turn to
renta income
retorciéndose writhing
riñas quarrels

salteador highwayman, hold-
    up man
se apagaron they went out,
    shut off
se divisaban one could disting-
    uish, make out
se ha ahorcado have been hung
sendero path
silbar whistle
sobreviviente survivor
sordo muffled
suela sole
sueltos free, loose
susurró he whispered

tamaño size
tambaleándose staggering
tetera tea kettle
tierno tender, affectionate
tiritando shivering, trembling
tirón pull, tug
torres towers
Trepamos We climbed

veneno poison
víbora de pantano swamp vi-
    per
viudos widowers

yendo going

zurdo left-handed